CASPAR DAVID FRIEDRICH

Selbstbildnis · um 1803
Federzeichnung über Bleistift. 267 x 215 mm
Inv. 1932/153

CASPAR DAVID FRIEDRICH

in der Hamburger Kunsthalle

Von

Helmut R. Leppien

Hamburger Kunsthalle

Wir danken der Deutschen Unilever GmbH, die diese Broschüre durch eine beträchtliche Zuwendung möglich gemacht hat.

Inhaltsverzeichnis

Schließe dein leibliches Auge, damit du mit dem geistigen Auge zuerst siehest dein Bild. Dann fördere zutage, was du im Dunkeln gesehen, daß es zurückwirke auf andere von außen nach innen.

Beobachte die Form genau, die kleinste wie die große, und trenne nicht das Kleine vom Großen, wohl aber vom Ganzen das Kleinliche.

Willst du wissen, was Schönheit sei, befrage die Herren Ästhetiker. Beim Teetisch kann's dir nützlich sein, aber vor der Staffelei nicht, da mußt du fühlen, was schön ist.

Hier in diesem Bilde ist durch Farbe und Gestaltung ausgesprochen, was das Wort nicht wiederzugeben vermag.

Aus Friedrichs *Äußerungen bei Betrachtung einer Sammlung von Gemälden von größtenteils noch lebenden und unlängst verstorbenen Künstlern.*
Das Manuskript wird im Kupferstichkabinett Dresden aufbewahrt.

Vorwort

Bücher über Caspar David Friedrich gibt es in großer Zahl. Dieses schmale Heft will mit ihnen nicht wetteifern. Wer es gelesen hat, kennt nicht den ganzen Friedrich. Nicht Übersicht, sondern Einblick zu geben ist die Absicht. Die Schrift lädt ein, die zwölf Gemälde in der Hamburger Kunsthalle (und Kerstings Bild von Friedrich im Atelier) genau zu betrachten und vom Sehen zum Erkennen zu kommen. Der Weg geht also vom Besonderen zum Allgemeinen, ein Verfahren, das der Forschung am Museum eigen ist.

Wer die Kunst des Malers Friedrich kennenlernen will, findet die größten Sammlungen in vier Städten: in Dresden, seinem Wohnort, in Berlin, der Stätte frühen Erfolgs, in St. Petersburg, wo treue Sammler lebten, und in Hamburg, der Stadt seiner Wiederentdeckung.

Als Nachwort wird über *Friedrich und Hamburg*, über die Geschichte der Gemäldesammlung, berichtet. Zumindest mit einem Satz muß die reiche und vielfältige Sammlung des Kupferstichkabinetts mit ihren bildmäßigen Sepia- und Wasserfarbenblättern, den zahlreichen Studien und den Holzschnitten erwähnt werden. Der kleine, inzwischen vergriffene Ausstellungskatalog von 1990 listet den Bestand auf.

Das Heft erscheint zur Neuordnung der Gemäldegalerie im 1914 begonnen Neubau (der bald einen neuen Namen braucht); die entscheidende Änderung ist die Abfolge im Rundgang. Wie schon seit vierzig Jahren Runge hat nun Friedrich endgültig (in einer ersten Fassung schon seit 1991) einen ganzen Saal eingeräumt bekommen, statt der Konfrontation Friedrich – Nazarener. Der besondere Charakter der Friedrich-Sammlung in der Hamburger Kunsthalle wird eindrucksvoll erkennbar.

Friedrichs Lebenslauf

Am 5. September 1774 wurde er in Greifswald in Pommern geboren. Der Vater war Seifensieder und Kerzendreher. Früh verlor er die Mutter. Der Universitätszeichenlehrer Quistorp gab ihm 1788 den ersten Kunstunterricht und lehrte ihn die Heimat lieben.

1794 bezog er die Kunstakademie von Kopenhagen, die hohes Ansehen genoß; zu seinen Lehrern zählten Abildgard und Jens Juel.

1798 zog er nach Dresden und blieb dort bis zu seinem Tode ansässig. Er wohnte draußen in der Pirnaischen Vorstadt. Vom Frühjahr 1801 bis zum Sommer 1802 war er bei der Familie; der Aufenthalt auf der Insel Rügen hat seine künstlerische Entwicklung beflügelt, gewiß auch die Begegnung mit dem Dichter Kosegarten auf Rügen und mit dem Schriftsteller Thorild in Greifswald, wo er auch Runge kennenlernte, dessen bildnerisches Denken in seiner Arbeit wirksam wurde.

Von Dresden aus ging er sommers ins nahe Loschwitz, wanderte von dort in der Sächsischen Schweiz; 1810 war er mit dem Malerfreund Kersting im Riesengebirge unterwegs. Auch den Harz und die böhmischen Berge lernte er wandernd und zeichnend kennen.

Anfangs malte er Bilder mit Wasserfarben und besonders mit der Sepiatusche, oft im großen Format. Ein erster öffentlicher Erfolg war 1805 ein Preis der »Weimarer Kunstfreunde« für zwei Sepiablätter.

Der Malerei mit Ölfarben wandte sich Friedrich erst 1807 zu; das ›Kreuz im Gebirge‹ (1808) in der Gemäldegalerie Dresden ist der Beginn romantischer Landschaftsmalerei, ein entschiedener Bruch mit der Tradition. Auf der Kunstausstellung 1810 in Berlin hatte er besonderen Erfolg: Der preußische Hof kaufte auf Anregung des jungen Kronprinzen die Bilder ›Mönch am Meer‹ und ›Abtei im Eichenwald‹, die Akademie wählte Friedrich zum Mitglied, Arnim und Brentano sammelten in den *Berliner Abendblättern Verschiedene Empfindungen vor einer Seelandschaft von Friedrich,* in der Einleitung schrieb Kleist, das Bild sei, *als wenn einem die Augenlider weggeschnitten wären.*

Nach der Völkerschlacht bei Leipzig fand 1814 in Dresden eine Ausstellung patriotischer Kunst statt, an der Friedrich teilnahm, auch mit den ›Gräbern gefallener Freiheitskrieger‹. Seine patriotische Gesinnung republikanischer Prägung ist mehrfach überliefert.

1816 wurde er zum Mitglied der Dresdner Akademie gewählt, erhielt aber kein Lehramt. 1817 lernte er den Arzt und Dichter Carl Gustav Carus kennen, der sein Freund wurde, wie ein Jahr darauf der Maler Johan Christian Dahl aus Norwegen. 1818 heiratete er Caroline Bommer; die Hochzeitsreise führte in die Heimat. 1820 zogen Friedrichs einige Häuser weiter in ein neu gebautes Haus, An der Elbe 33. Drei Jahre später mieteten Dahls eine Wohnung über ihnen.

1820 besuchte ihn der russische Kronprinz, der 1825 Zar Nikolaus I. wurde, und kaufte zwei Bilder. 1821 kam der Dichter Wassilij Shukowski in Friedrichs Atelier; später vermittelte er mehrfach Ankäufe des Zarenhofs, besuchte Friedrich noch häufig und wurde ein enger Freund. Der wichtigste bürgerliche Sammler war der Buchhändler Reimer in Berlin.

Die Ernennung zum außerordentlichen Professor der Akademie Dresden 1824 war keine Anerkennung, denn die Leitung der Landschaftsklasse wurde ihm nicht anvertraut. Friedrich lebte immer in bescheidenen Verhältnissen, wußte wohl auch nicht zu wirtschaften. Eine 1824 einsetzende schwere gesundheitliche Krise versuchte er 1826 auf Rügen zu überwinden. Der Ruhm war vergangen. Die junge Künstlergeneration mit ihrem gemütvoll erzählerischen Naturalismus ließ seine strenge, sinnbildhafte, auf dem christlichen Glauben ruhende Kunst altmodisch erscheinen. Als ihn 1834 der Bildhauer David d'Angers besuchte, rief dieser aus: *Voilà un homme qui a découvert la tragédie du paysage!* (Dieser Mann hat die Tragödie der Landschaft entdeckt.)

1835 erlitt Friedrich einen Schlaganfall; bald konnte er nur noch Sepiabilder malen. Als Shukowski ihn am 19. März 1840 besuchte, erschien er wie *eine traurige Ruine.* Am 7. Mai 1840 ist Caspar David Friedrich in Dresden gestorben.

Gräber gefallener Freiheitskrieger

Eine Felswand schließt den Blick in die Tiefe ab. Vom Himmel ist nichts zu sehen. Nie zuvor hat ein Künstler eine Landschaft gemalt, die unter dem Horizont endete. Vor der Felswand steigt eine Bergwiese nach beiden Seiten hin an. Von der Mitte aus öffnet sich die Felswand zu einer tiefen Höhle, die sich nach oben hin in einer Spalte fortsetzt. Dieser Bewegung nach rechts ist der Obelisk entgegengesetzt; der frisch behauene Kalkstein mit den Reliefs von Thanatos-Figuren – geflügelten Jünglingen mit der umgestürzten Fackel, also Todesgöttern – steht im Sonnenlicht, das auch auf das Gras vor der Felswand fällt. Auf gleicher Höhe wie der Obelisk sind an den Seiten zwei Grabmäler aus dunklem Stein dargestellt. Ihre strengen Formen in der Tradition der Antike entsprechen ganz dem Geschmack am Kargen, Kantigen, der Anfang des 19. Jahrhunderts herrschte.

Der Blick geht vom Sarkophag am rechten Rand hinab zu einem schlichteren Grabdenkmal und über einen Holunderbusch hinweg zu schwer auszumachenden Trümmern eines alten Grabmals, geht weiter über den Busch in der linken Ecke zum Grabmal links, nimmt die Reste eines vom Blitz getroffenen Baumes zwischen Grab und Mal wahr, entdeckt über dem Grab ein zweites, kleineres, darüber einen Felsvorsprung, aus dem eine Krüppeleiche sprießt, geht schließlich zu dem zweiten Gewächs ganz oben, neben den beiden Fichtenstämmen, die der Rand abschneidet. Der Blick geht weiter, über die Felswand hinweg, nimmt dabei die fallende Bewegung aus vielen Rissen, Kanten, Mooslinien wahr, die alle ein Ziel haben: die Höhle. Der Blick endet in der oberen rechten Ecke, sieht dort wieder einige vom Rand abgeschnittene Stämme, den Teil einer großen, gesunden Lärche und darunter eine abgestorbene Eiche, die nur noch an einigen ihrer schlangenförmig bewegten Zweige Blätter trägt.

Es ist also ein Bild vom Leben und vom Tod, vom Kreislauf der Natur, in dem die Monumente – das neue wie das alte Menschenwerk – in ihrer Kantigkeit ganz fremd bleiben.

Der Blick geht wieder zur Mitte, ist irritiert vom Gegensatz zwischen der Lichtheit des neuen Obelisken und der Düsternis der alten Höhle. Beim Abstieg in die Höhle nimmt er am Eingang, vor dem aufragenden Felsblock, zwei behelmte Figuren wahr. Der eine blickt zu uns, der andere ist von hinten gesehen. Es sind Chasseurs, also Soldaten des Usurpators Napoleon. Sie stehen neben einem weiteren Grabmal, das in der Dunkelheit der Höhle kaum auszumachen ist. Auch anderes ist schwer zu erkennen. Während die Inschrift auf dem Sockel des Obelisken

EDLER JUINGLING, VA-
TERLANDS-ERRETTER.

klar lesbar ist und die drei Buchstaben GAF an der Spitze über gekreuzten Schwertern und einem Stern nur schwierig zu deuten sind (handelt es sich um eine abgekürzte

Gräber gefallener Freiheitskrieger · 1812
49,3 x 69,8 cm. Inv. 1048. Erworben 1908

Devise oder um ein Monogramm?), heben sich die anderen Inschriften kaum vom dunklen Grund ab; die Lesbarkeit hat mit der Zeit abgenommen. Auf dem Mittelfeld des linken Sarkophags liest man

FRIEDE DEINER GRUFT

RETTER IN NOT

und auf dem Deckel des Sarkophages steht

DES EDEL GEFALLENENFUIR FREIHEIT UND RECHT. F.A.K.

Auf dem Grabmal vorn steht in roter Schrift

ARMINIUS.

Darüber ist eine Schlange in Rot und Blau zu sehen, die über die Kanten des gestürzten Pfeilers kriecht. Auf dem Felsblock, vor dem die beiden französischen Soldaten mit ihren goldenen Helmen stehen, sind als Relief ein Schwert und ein Helm angebracht.

Das Bild ist sehr dünn gemalt, *alla prima,* auf ein Mal; die Linien im Fels haben einen ausgesprochen handschriftlichen Charakter. Die bestimmenden Farben sind das helle, grünhaltige Braun des Felsgesteins und das tiefe Grün des Buschwerks; das lichte Grün des Grases liegt in der Zwischenzone. Akzente setzen das graue Braun der Grabmäler und das helle Ocker des Obelisken.

Für die Komposition des Bildes hat Friedrich drei Bleistiftstudien verwendet. Die Zeichnung vom 27. Juni 1811 stellt eine Höhle im Kalksteinbruch am Hartenberg im Harz dar, die vom 19. März 1812 eine vom Blitz getroffene Eiche, die undatierte, verschollene ist eine genaue Konstruktionszeichnung des verfallenen Grabmals, auf dem die Inschrift HERMAN zu lesen ist. (Hermann der Cherusker, latinisiert ARMINIUS, der Sieger über die Römer in der Schlacht im Teutoburger Wald, war seit Klopstocks Drama *Hermanns Schlacht* von 1769 eine verehrte Gestalt.)

Friedrich sandte das Gemälde zur Berliner Akademieausstellung im September 1812. Ein Kritiker nannte es *Grabmale alter Helden.* Der in Hamburg seit der Erwerbung 1908 übliche Titel ist der zutreffende.

In der ›Höhle mit Grabmal‹ (Kunsthalle Bremen) hat Friedrich den bildnerischen Gedanken des Hamburger Bildes weiterentwickelt, wie Börsch-Supan erkannt hat. [1]

Das Motiv des Steinbruchs bei Rübeland im Harz hat Friedrich 1821 in einem Gemälde (Stiftung Pommern, Kiel) und etwa 1838 in einem Sepiabild (Kgl. Handbibliothek Kopenhagen) wiederaufgenommen. Mit den Grabmälern fehlt dort auch der politische Bezug.

In der Zeit zwischen April und August 1812 hat also Friedrich das Bild gemalt. Vergegenwärtigen wir uns die politische Lage! Napoleon stand auf der Höhe seiner Macht, war der Herr Europas. Die meisten deutschen Fürsten hatten sich schon 1806 mit der Bildung des Rheinbundes ihm unterworfen; der König von Sachsen, Friedrichs Landesherr, war ein besonders treuer und enger Verbündeter. Das Jahr begann mit der Besetzung von Friedrichs Heimat, von Vorpommern samt Rügen. Am

Das Arminiusgrabmal · 1812
Bleistiftzeichnung. Verschollen

24. Februar verpflichtete sich Preußen, das 1806 in der Schlacht von Jena und Auerstädt geschlagen und im Frieden von Tilsit um einen großen Teil seines Territoriums gebracht worden war, ein Hilfscorps von 20000 Soldaten für Napoleons Feldzug gegen Rußland zu bilden, auch die Rheinbundfürsten und Österreich stellten Truppen. Am 12. Mai zog Napoleon in Dresden ein. Er hielt Hof. *Während die Regimenter der großen Armee in unendlicher Reihe über die Elbbrücken zogen, versammelten sich Deutschlands Fürsten im Dresdener Schlosse um ihren Beherrscher.*[2] Am 29. Mai verließ Napoleon Dresden, am 24. Juni überschritt er Rußlands Grenze. Wieviel Wochen mag es gedauert haben, bis die Dresdner von Napoleons blutigem Sieg bei Borodino im September, vom Brand Moskaus im Oktober erfuhren? Alle Nachrichten werden Friedrich beschäftigt, ja aufgewühlt haben. Er war nun 37 Jahre alt, erst fünf Jahre zuvor hatte er die Malerei mit Ölfarben begonnen.

Wie sehr Friedrich auf seiten der Freiheitskämpfer stand, macht die Notiz auf einer am 20. Juli 1813 entstandenen Zeichnung von Bäumen in der Sächsischen Schweiz deutlich; nachdem Napoleon mit seinem Heer am 12. Mai erneut in Dresden einmarschiert war – nun auf dem Rückzug –, hatte sich Friedrich in die Bergeinsamkeit geflüchtet. Friedrich schrieb auf das Blatt: *Rüstet Euch heute zum neuen Kampf Teutsche Männer. Heil Eueren Waffen!*[3]

Als am 24. März 1814, Napoleons Niederlage war schon unausweichlich, die Akademie der Künste in Dresden eine improvisierte Ausstellung *patriotischer Kunstwerke* (wie Zeitungen schrieben) veranstaltete, waren von Friedrich außer einer Landschaft in Sepia drei Gemälde zu sehen: unser Bild, ›Höhle mit Grabmal‹ und ›Chasseur im Walde‹.

Den patriotischen Charakter dieser Bilder haben die Kunsthistoriker, die über Friedrich schrieben, stets hervorgehoben, ja es war das einzige, was sie wahrnahmen. Sie lasen die Inschriften wie Schlagzeilen in der Zeitung. Die Schlange *in den Farben der Trikolore* allerdings entdeckte erst Börsch-Supan[4].

So wichtig der versteckte Sinn dieses Bildes ist, er ist nicht der einzige. Nicht Arminius vertreibt die Eindringlinge, es ist die Natur, von der sie verschlungen werden.

Der anschauliche Sinn des Bildes ergibt sich aus der Spannung zwischen Höhle und Obelisk. Es geht um die Macht der Natur, die den Menschen einschließt, ihm keinen Ausweg läßt, und zugleich um die Kraft des Menschen, der ein klares Zeichen setzt.

1 Helmut Börsch-Supan/Karl Wilhelm Jähnig, *Caspar David Friedrich, Gemälde, Druckgraphik und bildmäßige Zeichnungen,* München 1973, Nr. 206.
2 Heinrich von Treitschke, *Deutsche Geschichte im Neunzehnten Jahrhundert 1,* Leipzig ⁴1886, S. 394.
3 *Caspar David Friedrich 1774–1840,* Hamburger Kunsthalle 1974, Nr. 112.
4 Helmut Börsch-Supan, *Caspar David Friedrich,* München 1973, Nr. 205.

Gräber gefallener Freiheitskrieger
Ausschnitt

Wanderer über dem Nebelmeer

Auf einem felsigen Gipfel steht ein Mann und schaut ins Nebelmeer. Er versperrt uns den Blick und steht zugleich da, wo wir stehen würden, er vertritt uns also. Wir können uns selbst in diesem Wanderer wiederfinden, in diesem Mann im grünen Rock, der sich auf einen Stock stützt.

Wir sehen in die Unendlichkeit der Welt, in die Grenzenlosigkeit der Natur. Das schöne Wort Nebelmeer macht uns klar, daß diese Gebirgswelt durch den Nebel, der die Unterschiede unwichtig macht, zu einem Meer geworden ist. Allmählich sehen wir, wie aus dieser Brandung des Nebelmeeres zu seiten des Wanderers Sandsteinfelsen, nackt oder mit Bäumen bestanden, herausragen. Wir sehen darüber, dahinter – als Grenze zwischen dem gerade noch Erreichbaren und dem ganz Fernen – rechts und links, ganz symmetrisch angeordnet, eine zur Mitte hin sanft abfallende Berglinie. Schließlich sehen wir in der Ferne einige Gipfel und einmal hochragendes Felsgestein. Der Nebel über den Bergen und der Himmel haben die gleiche Farbe. Erst in der Höhe des Himmels nimmt das Blau zu. Die grauen Wolken sind immer wieder von Lichtstreifen durchzogen, und ganz oben gibt es bewegte Wolkenkämme. Der Wanderer ist ein wenig nach links gewandt, zum höchsten Gipfel hin, vor dem zarter Dunst in die Höhe zieht.

Der Wanderer steht nicht im Angesicht eines bestimmten, benennbaren Gebirges, wenn auch Friedrich in der Sächsischen Schweiz gezeichnet und einzelne Felsformationen von daher übernommen hat. Es ist die Welt, die für Friedrich Gottes Schöpfung ist, vor welcher der Mensch nur noch steht. Er handelt nicht, er bedenkt. Er steht vor der Natur, in die der Mensch nicht eingreifen kann. Der Wanderer hat die Nebelzone unter sich, steht über dem Nebelmeer. Er hat den Weg über den Nebel hinaus gemacht.

Das Bild ist in zwei Schichten aufgebaut. Vorn das Dunkle, Feste, Greifbare des Felsgipfels und des Wanderers und dahinter die Ungreifbarkeit der weiten Natur. Die Figur ist in die Komposition des Bildes eingefügt, in das Gefüge der Bergwelt.

Jenseits des Vordergrunds im Gegenlicht mit dem dunklen Braun und Grau des karg bewachsenen Felsgesteins und dem tiefen Grün des Rocks und der Hose des Wanderers ist die Farbigkeit höchst differenziert. Der weiße Nebel spielt sowohl ins Gelbe wie ins Braune, Violette und Grüne. Das Krakelee, das Felsen und Figur durchzieht und auch an den beiden Seiten erscheint, ist sehr ausgeprägt.

Immer wieder kann man auf Landschaftsbildern seit dem 17. Jahrhundert kleine Figuren entdecken, die von hinten als Betrachter dargestellt sind. Diese Tradition war Friedrich bekannt. Er aber setzt wie niemand vor ihm eine große Rückenfigur in die Landschaft, genau ins Zentrum der Komposition.

Zeichnungen von Felsen und Bergen aus der Sächsischen Schweiz aus den Jahren 1813 und 1808 hat Börsch-Supan dem Bild zuordnen können.[1]

Wanderer über dem Nebelmeer · um 1817
94,8 x 74,8 cm. Inv. 5161. Erworben 1970
Eigentum der Stiftung zur Förderung der
Hamburgischen Kunstsammlungen

Marianne Prause hat erkannt, daß Friedrichs Freund Carl Gustav Carus mit seinem Bild ›Ruhe des Pilgers‹ von 1818 eine (treuherzige) Paraphrase des ›Wanderers‹ gemalt hat.[2] Wenn also Carus das Bild in Friedrichs Atelier 1818 oder 1817 gesehen hat, muß dieser es um 1817 gemalt haben.

Die denkmalhafte Pose des Wanderers sei von der Situation des Gipfelerlebnisses nicht zu trennen, stellt Hans Joachim Neidhardt fest. Zwar habe Friedrich dieses Erlebnis anders als Schinkel, Goethe, Körner und Kleist nicht mit Worten beschrieben, doch kann Neidhardt eine Äußerung Friedrichs einleuchtend mit dem Bild in Zusammenhang bringen: *Ich muß allein bleiben und wissen, daß ich allein bin, um die Natur ganz zu fühlen und zu schauen. Ich muß mich dem hingeben, was mich umgibt, mich vereinigen mit meinen Wolken und Felsen, um das zu sein, was ich bin.*[3]

Schon Ludwig Grote, der den ›Wanderer‹ als erster behandelt hat, glaubte in dem Bild den *Atem der Freiheitskriege* zu spüren,[4] und Börsch-Supan sah in dem Gemälde das Gedächtnisbild für einen Verstorbenen, vielleicht für einen in den Freiheitskriegen gefallenen (der Rock *ähnelt* nach Grote *im Schnitt der Uniform* der freiwilligen Jäger). Es ist aber nicht nur müßig, sondern auch indezent, nach einem Namen zu suchen. Was Friedrich ins Allgemeine gehoben hat, darf nicht wieder ins Private zurückgeholt werden.

Der Mensch auf dem Gipfel ist zugleich der Mensch am Abgrund, der vor ihm liegt. Der Abgrund aber ist in Nebel gehüllt. Er birgt das Künftige, das dem Auge des Sterblichen entzogen ist (Neidhardt).

1 Helmut Börsch-Supan, *Caspar David Friedrich*, München 1973, Nr. 250.

2 Marianne Prause, *Carl Gustav Carus. Leben und Werk*, Berlin 1968, Nr. 415, S. 25, Abb. 4.

3 Hans Joachim Neidhardt, Friedrichs ›Wanderer über dem Nebelmeer‹ und Carus' ›Ruhe des Pilgers‹.
   Zum Motiv des Gipfelerlebnisses in der Romantik, in: *Ars auro prior. Studia Ioanni Bialostocki sexagenario dicata, Warschau 1981, S. 607–612, bes. S. 609.*

4 Ludwig Grote, Der Wanderer über dem Nebelmeer, in: *Die Kunst und Das schöne Heim 48*, 1950, S. 400–404. Grote vermerkt übrigens: *Die Bezeichnung ist dem Bilde erst, als es jetzt auftauchte, gegeben worden.*

Wanderer über dem Nebelmeer
Ausschnitt

Ziehende Wolken

Wie ein düsterer Wall erscheinen die Steine im Vordergrund, das grasbewachsene Hochplateau dahinter wäre mit wenigen Schritten zu durchmessen – dann stände man am Abgrund. Grün, Braun und Grau sind hier die bestimmenden Farben; in dem kleinen Teich und davor blitzen Lichter auf, Blumen mit roten und weißen Blüten und Gräsern beleben die Steine.

Der dunklen Zone entsprechen regenhaltige Wolken oben. Sie verhängen den Blick in die Tiefe. Der Wind zerfasert sie zu schräg verlaufenden Gebilden. Viele weiße Wölkchen ziehen unter ihnen und vermischen sich mit aufsteigendem Nebel. Zwischen den Wolkenfetzen erkennen wir hinter einer Ebene (wenige Lichtpunkte erlauben die Vermutung, sie sei besiedelt) weitere Bergzüge, hintereinander geschichtet. Nur einmal kann der Blick bis zum Horizont ganz in der Tiefe und zum rosa Himmel gehen: oben rechts in der Mitte.

Allein der runde Teich, die gerundeten großen Steine um ihn herum und die sanfte Kurve der nahen Horizontlinie zum Abgrund hin erscheinen fest. Das Bergland dahinter, die grauen und die weißen Wolken und der rötlich erscheinende blaugraue Nebel entziehen sich der Greifbarkeit.

In einem Brief vom Juli 1821 erwähnte Friedrich zwei kleine Bilder, *beide Erinnerungen an den Brocken von der Höhe.* Eines davon dürfte unser Bild sein. Der Brocken ist der höchste Berg im Harz, in dem der Maler mehrfach wanderte und zeichnete. In diesem Fall hat Friedrich eine Studie vom 29. Juni 1811 verwendet. Aber: *Erlebt wird an Stelle einer bloßen Ansicht das Transitorische als das letzte und am meisten gültige unter den Kriterien des Daseins. Nichts ist absolut, alles ist relativ.* (Wolf Stubbe)[1]

1 *Hamburger Kunsthalle. Meisterwerke der Gemäldegalerie,* Köln 1969, Abb. Nr. 174.

Ziehende Wolken · um 1820
18,3 x 24,5 cm. Inv. 1058. Erworben 1906

Nebelschwaden

Das Bild im harmonisch proportionierten Kabinettformat ist zu allen Seiten hin völlig offen komponiert. Allein waagrechte Gliederungselemente strukturieren das Terrain, wäre nicht in der Mitte die dunkle Hütte aus Heu, eine geometrische Form, eine Dacharchitektur; es ist die dunkelste Stelle im Bild. Wie ein Sockel dieses Tetraeders erscheint die untere Zone, in deren Dunkel Braun und Grün nicht mehr zu trennen sind. Streifen in Grün, Violettbraun, Grau, Grün und Grau sind vor allem auf der rechten Seite deutlich voneinander zu scheiden, Farbstreifen ohne jede lineare Konturierung. Hinter dem Horizont, der nach rechts leicht ansteigt, erscheint links ein ferner Bergzug mit weichen Umrissen und in der Mitte eine Anhöhe, die kaum sichtbar wird; ein hellgrauer Nebelstreifen nimmt dem Horizont die Schärfe der Grenze.

Wolken lasten auf dem Land und verdunkeln es. Ihr vom Abendrot durchmischtes Blaugrau wird nach oben hin vielfach vom Licht durchbrochen. Blasses Hellblau wird sichtbar; ein warmes Rosa, Gelb und Orange säumen die Ränder der windbewegten Wolken. Ein Vogelschwarm fällt zuerst an der hellsten Stelle auf, bald erkennt man vor dunklerem Fond viele weitere Krähen, auch über den Feldern und den Nebelschwaden. Aus der Nahsicht ist neben dem Ackerwagen im Dunkel der Hütte ein sitzender Mann zu erkennen. Er ist von der Seite gesehen und scheint auf den Knien einen Hut zu halten.

Friedrich weiß den Eindruck einer sich in der Tiefe erstreckenden Landschaft zu vermeiden; allein durch die Gestalt der schräg ziehenden Wolken entsteht eine gewisse räumliche Wirkung, während das Land ganz flächig gestaltet ist.

Ist dies eine Schilderung des *rauhen, den Tod verkündenden Herbstes?*[1] Eindeutige Hinweise fehlen. Hingegen vermittelt das Bild gewiß *das Gefühl der Öde und Einsamkeit.*[2] Der Mann im Dunklen – wir möchten ihn einen alten Bauern nennen – scheint schon dem Bereich des Todes anzugehören. Dann wären die Krähen Todesboten. Das Licht, das durch die Wolken bricht, ist das Licht der Verheißung des ewigen Lebens.

Die Datierung auf die Zeit um 1820 folgt Börsch-Supan, der sich dabei auf Kolorit und Farbauftrag stützt.[3]

1 Herbert von Einem, *Caspar David Friedrich*, Berlin 1950, S. 60.
2 Erika Platte, *Caspar David Friedrich. Religiöse Landschaft*, Bielefeld 1975, S. 16 (Stundenbücher. 126.).
3 Helmut Börsch-Supan, *Caspar David Friedrich*, München 1973, Nr. 269.

Nebelschwaden · um 1820
32,5 x 42,4 cm. Inv. 1056. Erworben 1911

Wiesen bei Greifswald

Schnell nimmt man die Stadt am Horizont wahr. Dann wird der ruhige Blick langsam über die Wiesen in die Tiefe geführt. Sehr bald hält ihn eine Bodenwelle hinter einem seichten Graben auf; sie geht von einem kleinen Abhang aus und ist zunehmend mit Büschen bewachsen. Weiter fesseln Rappen, der eine grasend, die anderen mit erhobenen Vorder- oder Hinterläufen, die Aufmerksamkeit. Ein Teich hinter ihnen, in dem sich der Himmel spiegelt, erscheint als heller Streifen; das dunkle Erdreich des jenseitigen, von einigen Büschen bewachsenen Ufers verstärkt diesen Eindruck. Die Gänseherde hinter dem Teich belebt das ockrige Grün der Wiesen. Einige Tiere sind deutlich wiedergegeben, andere bestehen aus nur zwei weißen Punkten. Auf der linken Seite sind etwa in Höhe des Teichs vier Pferde, in größerer Ferne drei weitere zu sehen.

Der Horizont ist über seine ganze Länge von Gebäuden und Bäumen besetzt. In der Mitte erscheinen nebeneinander die Kirchen St. Nikolai und St. Jakobi. Hinter dem Vettentor ragt der Dachreiter des Rathauses hoch, der Turm links gehört zur Marienkirche. Der Kenner wird noch weitere Gebäude benennen können, denn jedes Bauwerk ist genau wiedergegeben. Noch heute ist dieser Blick auf Greifswald von Westen her im Ganzen unverändert, denn das Gelände am oberen Ufer der Ryck ist zu sumpfig, um bebaut werden zu können. Außerhalb der Stadtmauer geht die Siedlung rechts mit Bauernhöfen und Scheunen, links mit Windmühlen und Lagerhäusern weiter; zwischen den beiden großen Mühlen sind die Masten des fernen Hafens erkennbar.

Wir sehen die Stadt im dunstigen Gegenlicht, ein feiner Schleier scheint über ihr zu liegen. Zum Grün der Bäume und zum Rot der Ziegeldächer kommt so ein feines Violett. Der wolkenlose Himmel ist in ein zartes Gelb getaucht, das zur Höhe hin allmählich in ein lichtes Blau übergeht. Der besondere Charakter des Bildes wird von diesem Licht bestimmt. Das stille Strahlen des Sonnenlichts in der Mittagsstunde hebt die ferne Stadt über das Irdische. So sehr wir jedes Haus wahrnehmen können, so wenig meinen wir über die dunkle, von der Bodenwelle begrenzte Zone hinaus gelangen zu können.

Eine Bleistiftzeichnung mit Quadrierung von 1809 oder 1815 ist für das Gemälde als Vorzeichnung benutzt worden.[1] Das Gemälde ›Greifswald im Mondschein‹ von 1816/17 in der Nationalgalerie Oslo zeigt die gleiche Stadtsilhouette. Unser Bild datiert Börsch-Supan wegen der Malweise auf die Zeit 1820 bis 1822.[2]

1974 wurde der stark vergilbte Firnis abgenommen. Das ausgeprägte Krakelee, mehrfach ringförmig, stört die Ruhe der Himmelszone.

1 *Caspar David Friedrich 1774–1840*, Hamburger Kunsthalle 1974, Nr. 158.
2 Helmut Börsch-Supan, *Caspar David Friedrich*, München 1973, Nr. 285.

Wiesen bei Greifswald · um 1821
34,5 x 48,3 cm. Inv. 1047. Erworben 1904

Das Eismeer

Auch dieses beunruhigende Bild voller Bewegung ist klar gegliedert: in die dunkle Zone der übereinander gelagerten Eisplatten, in die Mittelzone mit den schräg in die Höhe gerichteten Eisblöcken und dem gekenterten Schiff und in die Ferne ganz in Blau, in der das Wasser mit den Eisbergen und Eisschollen kaum merklich in den Himmel übergeht.

Wie immer bei Friedrich beginnt das Bild unvermittelt. Die spröde Kantigkeit der drei Schichten aus schräg gelagerten Eistafeln in Braun und grünlichem Grau wird ein wenig gemildert durch kleine und kleinste Eisbrocken, durch blaugraue Inseln aus Schnee da und dort und vor allem durch die Haufen aus Eisbrocken und fest-gefrorenem Schnee zu beiden Seiten; die rechts hochragende Eisscholle mit ihrer gelben Spitze verbindet die vordere mit der Hauptzone.

In der Mitte ragt ein wahres Gebirge aus gewaltigen Eisschollen hoch. Der Blick geht von der aufgerichteten Scholle vorn zu zwei ebenfalls spitzen Platten, weiter an zwei hochragenden Blöcken entlang, zwischen denen ein schneebedeckter Haufen eingeklemmt ist, zum Gipfel: drei als fallende Treppe schräg übereinander aufgerichtete riesige Eistafeln, die höchste wie ein Pfeil zugespitzt. Während drei parallel gerichtete Platten und ein aufliegender Brocken den rechten Abhang des Berges bilden, sind links vier Schollen so über- und nebeneinander angeordnet, daß sie als Sockel des Gipfels erscheinen, jedoch als ein sehr unstabiler. Von dem unter-gegangenen Schiff sind noch ein Teil des Hecks, der Besammast, das flatternde Stück eines Segels und einige Taue zu sehen; zwischen Heck und einer hochra-genden spitzen Scholle ist schneebedecktes Eisgeröll aufgetürmt, das auf das Schiff zuzuwachsen scheint. So wie hier der Segler versinkt, stecken auf der anderen Seite des Gipfels zwei Eistafeln und vier Baumstämme fest. Sie lenken den Blick auf den Eisberg in der Ferne.

Die suggestive Wirkung dieses Bildes wird in gleichem Maße von der Masse des Eises wie von den Blautönen der Ferne bestimmt. Das intensive Blau des Himmels liegt dunkel über dem Eismeer, als eine geschlossene Wand, die ganz oben in der Mitte aufbricht; lichtes Blau erscheint in einem Wolkenkranz.

In keinem anderen Bild Friedrichs spielt die Handschrift des Malers eine solche Rolle. Erst beim genauen Hinsehen wird der Eindruck des Unlebendigen in diesem Bilde durch die Malweise gemildert. Bei den dicken Schollen oder beim festgefro-renen Schnee ist die Pinselführung deutlich ablesbar. Durch den Prozeß des Malens ergibt sich die Differenzierung der reichen Farbigkeit (zu der die fast überall durch-scheinende warme Untermalung gehört) und die Lichthaltigkeit der Farbe.

Der Winter 1820/21 war in Dresden so kalt, daß die Elbe zufror. Am 18. Januar 1821 brach die Eisdecke auf. Der Arzt und Maler Carl Gustav Carus, ein Freund Friedrichs, hat uns dies Ereignis geschildert: *Der Fluß war in der Nähe noch durch-*

Das Eismeer · um 1823/24
96,7 x 126,9 cm. Inv. 1051. Erworben 1905

aus mit seiner ... Eisdecke belegt; weiter hinauf zeigte sich schon freies Wasser, und die von dort fortgetriebenen Schollen waren an den Rändern des stehenden Eises zackig, aufwärts und zusammengeschoben ... Die Gewalt des eindringenden Wassers ... setzte endlich auch die diesseitigen Eismassen in Bewegung, und gegen die Ufer des Elbberges schoben sich jetzt, ernst und gewaltig, breite Schollen, gleich anschlagenden, erstarrten, übers Land flutenden Meereswellen, weit herauf.[1]

An diesem Tag muß Friedrich die drei Ölstudien gemalt haben, die treibende Eisschollen darstellen. Ölstudien sind in Friedrichs Werk sehr selten. Während sein Freund und Hausgenosse Johan Christian Dahl wie damals viele junge Maler in ganz Europa vor der Natur malte, um den unmittelbaren Eindruck möglichst getreu in Farbe und Licht festzuhalten, zog es Friedrich vor, das Gesehene unmittelbar mit dem Stift zeichnend zu notieren. Seine wenigen gemalten Naturstudien stellen Licht- und Wolkenerscheinungen dar. Beim Malen des Bildes hat Friedrich zwei seiner Studien herangezogen. Der Eisbrocken, der auf der untersten Scholle genau in der Mitte liegt, ist ebenso nach einem Naturvorbild gestaltet wie die beiden Stücke darüber, die so nebeneinanderliegen, daß sie wie ein Pfeil erscheinen. Der Vergleich der Originale macht anschaulich, wie Friedrich im Gemälde der Gestalt der Eisstücke eine entschiedene Straffheit verliehen hat.

In Dresden war 1822 ein Panorama von Johann Carl Enslen ausgestellt, das ›Winteraufenthalt der Nordpol-Expedition‹ hieß. Es dürfte durch das 1822 auf deutsch in Hamburg erschienene *Journal of Voyage for the Discovery of the North-West-Passage from the Atlantic to the Pacific 1819 to 1820* des Forschungsreisenden William Edward Parry angeregt worden sein. Darin wird auch geschildert, wie der Dreimaster Griper in Gefahr geriet, vom Eis erdrückt zu werden. Wir dürfen annehmen, daß Friedrich zumindest durch das Panorama-Gemälde von Parrys Expedition, die damals großes Aufsehen erregte, gewußt hat.

Das eigene Erleben des Eisgangs auf der Elbe und die Kenntnis von der Fahrt ins Eismeer werden Friedrich angeregt haben, Bilder vom Eismeer zu malen. Ein erstes Bild entstand 1822; es ist seit 1869 verschollen. Damals wurde es so beschrieben: *Schwarze Felsenriffe, an denen sich geborstene, tauende Eisschollen auftürmen. Zwischen ihnen sind die Reste eines Schiffes eingeklemmt, auf dem man den Namen Hoffnung liest.*[2] Unser Bild, das zweite, wurde im Frühjahr 1824 in der Akademie zu Prag zum ersten Mal ausgestellt. 1826 war es auch in Hamburg zu sehen, in der *ersten vom Hamburger Kunstverein veranlaßten Kunstausstellung.*

Hermann Beencken fand in Friedrichs Bild *die Vernichtung selbst dargestellt;* er nannte das Polarmeer *die Welt der grenzenlosesten, menschenfernsten Einsamkeit, die sich denken läßt, die des absoluten Todes.*[3] Hans Sedlmayr sah in der Eiswelt ein *Symbol der Verlassenheit des Menschen.*[4] Daß die gescheiterte Hoffnung für Friedrich die auf Bürgerfreiheit in Deutschland war, hat zuerst Georg Schmidt[5] festgestellt. Für Werner

Eisschollen · 1821
Drei Studien: Öl auf Leinwand,
17,2 x 16,5 und 14 x 18 und 15,2 x 20,6 cm.
Inv. 41084–86. Erworben 1906

Hofmann war das Thema *das Zerbrechen des Menschen an der feindseligen Übermacht der Naturgewalten*.[6]

Irma Emmrich sah im fernen Eisberg *den ungeheuren Formungsdrang der Natur ... in gigantischen Gebilden offenbart*.[7] Rudolf Zeitler erkannte die dualistische Struktur des Bildes: *Wir sehen erstarrte Zeit, erstarrte Geschichte vor uns und zugleich wieder einen Hinweis auf ein jenseitiges Licht ...; es leuchtet auf den fernsten Eisschollen auf*.[8]

Börsch-Supan deutete das Motiv als ein *Sinnbild für die unnahbare Majestät Gottes*. Er widersprach der Deutung des Bildes *als Darstellung des Schreckens der Polarwelt*, es sei vielmehr Ausdruck von *Feierlichkeit und Erhabenheit ... Die Bildung der Eisschollen im Vordergrund läßt an Stufen eines Tempels denken. Der Betrachter muß diese Stufen in der Vorstellung emporsteigen, um auf die Ebene zu gelangen, auf der sich die zu dem klaren, blauen Himmel strebenden Eisberge erheben*.[9]

Willi Geismeier[10] und Jens Christian Jensen sahen »Das Eismeer« als Sinnbild der gesellschaftlichen Lage, der *allgemeinen Erstarrung in Deutschland* (Jensen). Über das Eisgebirge in der Mitte schrieb Jensen: *Die Stufen dieses Naturtempels führen ins Nichts*.[11]

In seiner Monographie über Friedrichs ›Eismeer‹ schrieb Peter Rautmann, das Gemälde sei *zwar ein Bild des Leidens, der Qual; die Größe der dargestellten Natur soll den Betrachter aber zugleich an seine geistigen Ziele gemahnen. Qual gegen Vollkommenheit, Tod gegen moralisch-geistige Zielsetzungen – diese Antipoden sind im Bild in widersprüchlicher Einheit präsent*. Rautmann endete seine Analyse so: *Die innere seelische Erstarrung, der geistige und individuelle Tod wie der gesellschaftlich-politische einer veralteten Epoche können nicht überwunden werden ohne das vollständige Absterben und Zerstören des Alten*.[12]

Von allen Interpreten hat nur Zeitler den aufbrechenden Himmel oben berücksichtigt. Deutet man dieses Phänomen als Zeichen göttlicher Verheißung, wird erkannt, daß hier Vernichtung, Verlassenheit und Erstarrung überwunden werden können. Dann führte der Weg im Bild vom Dunklen zum Licht.

1 Carl Gustav Carus, Ein Bild vom Aufbruch des Elbeises bei Dresden, in: Carus, *Neun Briefe über Landschaftsmalerei*, Dresden 1927, S. 212.

2 *Auktionskatalog Slg. Quandt 1868*, Nr. 64; zit. nach Börsch-Supan, *Caspar David Friedrich*, S. 376.

3 Hermann Beencken, *Das neunzehnte Jahrhundert in der deutschen Kunst*, München 1944, S. 237.

4 Hans Sedlmayr, *Der Verlust der Mitte*, Salzburg 1948, S. 115.

5 Georg Schmidt, Zur Einführung, in: *Deutsche Romantiker. 100 Gemälde und Handzeichnungen aus der Hamburger Kunsthalle*, Öffentliche Kunstsammlung Basel 1949, S. 11.

6 Werner Hofmann, *Das irdische Paradies*, München 1960, S. 177.

7 Irma Emmrich, *Caspar David Friedrich*, Weimar 1964, S. 101.

8 Rudolf Zeitler, *Die Kunst des 19. Jahrhunderts*, Frankfurt 1966, S. 70 (Propyläen Kunstgeschichte. 11.).

9 Helmut Börsch-Supan, *Caspar David Friedrich*, München 1973, S. 140.

10 Willi Geismeier, *Caspar David Friedrich*, Leipzig 1973, S. 47.

11 Jens Christian Jensen, *Caspar David Friedrich. Leben und Werk*, Köln 1974, S. 206.

12 Peter Rautmann, *C. D. Friedrich. Das Eismeer. Durch Tod zum neuen Leben*, Frankfurt 191, S. 25, 75.

Zum Vergleich:
Zwei Ausschnitte aus dem ›Eismeer‹
neben zwei Ausschnitten aus den Studien
Inv. 41085 und 41086

Hügel mit Bruchacker bei Dresden

Von der Stadt Dresden sieht man nicht mehr als die Kuppel der Frauenkirche, den Schloßturm, den Turm der Hofkirche und weit links den Turm der Kreuzkirche. Sie erscheinen blau im lagernden Abenddunst, blau wie die weite Ebene, über welcher der Abendhimmel erscheint. Der Blick auf Dresden wird von einem Hügel versperrt, der sich über einem frisch gepflügten Acker wölbt.

Mit dem Auge unseres Jahrhunderts sind wir versucht zu sagen, nichts habe Friedrich so sehr beschäftigt wie die strenge Gliederung der Komposition in vier waagerechte Zonen. War sie auch gewiß dem Maler das große bildnerische Problem, so befaßte er sich doch zugleich und mit gleichem Gewicht mit der sinnbildlichen Wirkung des Gemäldes und der Wiedergabe des sinnlich Erlebten. Noch vor den Türmen haben wir die ausladenden Bäume im letzten Laub wahrgenommen, und der Krähenschwarm, der über den Acker herfällt, beschäftigt Auge und Phantasie nicht weniger als Türme und Kuppel. Auch farblich ist das Bild vierfach gegliedert: in das rötliche Braun des Ackers, das tiefe Grün des Rasens auf dem Hügel, das Blau des fernen Tals und die Farbe des Abendhimmels, die sich ohne merkliche Übergänge vom hellen Orange in der Mitte des Horizonts zum lichten Blau ganz oben entwickelt, worin wenige dünne Wolkenstreifen in Hellgelb und tiefem Orange in der Mitte des Himmels einen Akzent setzen.

In den Bäumen mit ihren dünnen Stämmen und dem weit ausladenden Geäst (sind es Apfelbäume?) werden die Farben von unten, Braun und Grün, die Farben der Erde, nach oben gebracht. Das feine Gitternetz der Äste und Zweige verdichtet sich zwar an einigen Stellen, läßt aber das Licht des Himmels überall durchkommen. Das Schwarz der Krähen wird an einer Stelle geradezu schmerzlich erfahrbar, in der Mitte des Bildes, wo vier Vögel vor Grün schweben; die drei Krähen hingegen, die sich auf den Ackerfurchen niedergelassen haben, sind mit grauen Lichtreflexen gemalt und erscheinen nicht als Schreckensboten, was eher von dem Schwarm vor dem blauen Dunst rechts zu empfinden ist.

Was ist nun der Sinn dieses Bildes? Es entwickelt sich vom Dunkeln zum Lichten, vom Erdreich zum Himmel, wir dürfen auch sagen: vom Irdischen zum Himmlischen. In der Zone der Begegnung beschäftigt uns dreierlei: die fernen Türme als Zeichen des eben noch erkennbaren Bemühens des Menschen um Verbindung nach oben, der Vogelschwarm als düsteres Zeichen aus dem Jenseits und das Gespinst der Bäume vor dem warmen Licht des Abendhimmels als ein Sinnbild der Verbindung von Irdischem und Jenseits.

Börsch-Supan verglich das Bild mit der Studie ›Sonnenuntergang hinter der Dresdner Hofkirche‹, datiert *October 1824.*[1]

1 Helmut Börsch-Supan, *Caspar David Friedrich*, München 1973, Nr. 321.

Hügel mit Bruchacker bei Dresden · 1824/25
22,2 x 30,4 cm. Inv. 1055. Erworben 1913

Frühschnee

Erster Schnee liegt auf den Wipfeln der hohen Fichten und auf dem Waldweg, der vorbei an aufgeworfenen seitlichen Wällen in die Tiefe führt, am Ende aber eine Biegung nach rechts macht. Junge Fichten, auch sie beschneit, stehen an den Seiten vor der dunklen Wand aus Baumstämmen. Vom Himmel über den Wipfeln des Hochwaldes ist wenig zu sehen; die rötlichbraune Bewölkung reißt in der Mitte auf und läßt das Blau der Tiefe sehen.

Die Bäume vorn sind jung, die hinten sehr alt. Die Kraft des Wachsens und die Düsternis der späten Zeit sind ineinandergefügt. Durch die Äste des weniger hohen Baumes in der Mitte der Waldwand und durch die seitlich wachsenden jungen Fichten wird die dunkle Zone aus sehr engstehenden Fichtenstämmen in ihrer Form bestimmt: Sie fällt ab und steigt wieder auf.

Der Wald erscheint als etwas Urtümliches, Undurchdringliches und läßt so an die Felswand auf dem Bild ›Gräber gefallener Freiheitskrieger‹ denken. So sehr in der Flächengliederung Oben und Unten verbunden sind, so übergangslos ist die räumliche Staffelung. Jenseits der Felsen am Waldweg beginnt eine unerreichbare Welt.

Der beschneite Weg steigt steil an, biegt dann aber ab und scheint rechts der Baumgruppe nach oben weiterzuziehen. Die mit Grasbüscheln bewachsenen aufgeworfenen Erdhügel und die kahlen Felsen dazwischen haben wie der Weg etwas Schweres, Drückendes, trotz der zügigen, lockeren Pinselführung, die wir hier nicht weniger als in den hohen Baumwipfeln erkennen. Auch die Farbigkeit ist bis auf das strahlende Blau im Himmel schwer, wenngleich zu bedenken ist, daß im Lauf der Zeit das Grün der Fichten an Frische verloren hat.

Im Herbst 1828 war auf der Dresdner Kunstausstellung das Bild ›Ein Fichtenwald im Winter‹ von Friedrich zu sehen, ein *düsterer Fichtenwald, auf den die ersten Schneeflocken fielen,* wie damals in einer Zeitschrift zu lesen war.[1] Es dürfte dieses Bild gewesen sein.

---

1 Helmut Börsch-Supan, *Caspar David Friedrich,* München 1973, Nr. 363, Seite 112.

Frühschnee · um 1827
43,8 x 34,5 cm. Inv. 1057. Erworben 1906

Sturzacker

In drei Zonen ist das Bild gegliedert: unten eine hochgelegene Ebene mit einem großen Acker vorn, einem ansteigenden grauen Pfad, einem zweiten Acker und einer Wiese, oben der Himmel mit der untergehenden Sonne, in der Zwischenzone erst ein Abhang, von dem Birken und andere Bäume hochwachsen und an dem drei Häuser liegen, deren Dächer zu sehen sind, dann jenseits des Tales ein bebauter Hügel, dahinter Berge.

Alles, was wir unter den Bergsäumen wahrnehmen, liegt im Gegenlicht. Die Sonne, kaum halb zu sehen, hat ihre Strahlkraft verloren. Wäre nicht das kräftige Orange des Abendhimmels am Horizont, es wäre ein Bild ohne Licht. Streifenförmige Schleierwolken in Blauviolett gliedern den Himmel und teilen das Orange in zwei Zonen.

Das schwere Braun des Sturzackers, das intensive Grün der Wiese, das Orange im Himmel mit dem Gelb der halben Sonnenscheibe und die vielfachen Töne zwischen Blau und Violett im Tal, in den Bergen und im Himmel bestimmen die Ausstrahlung des Bildes. Die feingliedrigen Birken verbinden die untere mit der oberen Zone, die Erde mit dem Himmel.

Die dunkelste Stelle ist die Silhouette des Wanderers mit dem Stab und Rucksack, der am Abhang entlang zum Dorf hin geht. Sein Weg ist angestiegen, nun geht er hinab. Sturzacker nennt man den nach der Ernte roh umgepflügten Acker; es ist also Herbst. Der Wanderer kehrt heim.

Starkes Krakelee beeinträchtigt bei Nachsicht die Wirkung vor allem in der unteren Zone, in der das helle Liniennetz die Fläche aufreißt.

Aufgrund des koloristischen Reichtums und der flüssigen, dünnen Malweise datierte Börsch-Supan das Bild zögernd in die dreißiger Jahre.[1] Es mag um die Jahrzehntwende gemalt sein.

1 Helmut Börsch-Supan, *Caspar David Friedrich*, München 1973, Nr. 390.

Sturzacker · um 1830
34,6 x 47,6 cm. Inv. 1053. Erworben 1905

Berglandschaft in Böhmen

Eine entschiedene Gliederung in drei waagrechte Zonen wird als erstes wahrgenommen; wie gewohnt mißachtet Friedrich die Regeln der klassischen Landschaftskomposition. Die Bergkuppe links der Mitte erregt als deutlichste Abweichung von der Horizontalen Aufmerksamkeit. Bald erkennen wir, daß die Grenzlinie zwischen den grünen Wiesen und den blauen Bergen ganz allmählich nach rechts ansteigt, während sich der Umriß der Berge leicht senkt.

Die helle Himmelszone ist am wenigsten homogen; vom Wind zerfetzte graue Wolken fügen sich dennoch zu einer waagrecht verlaufenden Formation. Das helle Himmelblau ist mit Gelb gemischt, Orange tritt nur in Spuren auf.

Beim Betrachten aus der Nähe wird die vielfache Strukturierung auch der unteren Zone erkennbar. Sie ist wie das ganze Bild dreifach gegliedert. Das grasbewachsene Gelände unten ist uneben, als sei es sumpfig. Eine dunkle Erhebung ganz vorn in der Mitte setzt einen Akzent. Auf das Braun des Erdbodens ist das Grün des Grases gesetzt; an zwei Stellen finden sich einige Blumen mit roten Blüten. Die Mittelzone aus Farbstreifen in mehreren Grüntönen und aus violettem Braun wird nach unten durch eine schmale, dunkelgrüne Linie begrenzt und nach oben durch einen gelben Strich, der sich dunkel fortsetzt. Die dritte Grünzone nimmt nur die rechte Hälfte ein. Wir erkennen ein Getreidefeld, einen Sandweg, Wiesen und Äcker.

Einige Nebelschwaden rücken die Bergzone noch weiter weg. Das dunkle Blau ist mit tiefem Grün gemischt. Die einzelnen Bergzüge, die sich deutlich voneinander trennen, sind dicht bewaldet. Der scharf Beobachtende erkennt sogar auf einem Bergrücken eine Hütte mit hellem Schornstein.

Klare Gliederung und detaillierte Ausführung, das Allgemeine und das Besondere gehen eine innige Verbindung ein.

Aubert bezeichnete das Bild als Sommerlandschaft in Böhmen[1], 1904 wurde es als ›Harzlandschaft‹ von der Hamburger Kunsthalle erworben, andere meinten sicher das Riesengebirge mit der Schneekoppe zu erkennen, Hoch vielleicht den Kleis im böhmischen Teil des Lausitzer Gebirges.[2] Friedrich ist sowohl im Harz in Mitteldeutschland wie im Riesengebirge an der Grenze zwischen Schlesien und Böhmen wie im benachbarten Böhmen gewandert. Eine sichere Lokalisierung ist nicht möglich. Topographische Treue gibt es bei Friedrich nur selten. Bleistiftstudien, oft lange zurückliegend und an verschiedenen Orten gezeichnet, fügte er häufig in einer Komposition zusammen. Während seine Zeitgenossen vor der Natur Studien in Ölfarben malten, darunter sein Freund und Hausgenosse Johan Christian Dahl, suchte Friedrich trotz aller Liebe zum Detail eine andere Wahrheit, nicht die des bestimmten Ortes oder Augenblicks.

Früher wurde das Bild um 1820 datiert, von Börsch-Supan um 1823.[3] Sumowski

Berglandschaft in Böhmen · um 1830
35 x 48,8 cm. Inv. 1052. Erworben 1904

hingegen verglich es mit einem Aquarell von 1824.[4] Hofmann plädierte wegen der klaren Scheidung der Zonen für eine Entstehung um 1830.[5]

Fragt ein zeitgenössischer Kritiker, *drei Farben und zwei Linien, ist das denn eine Landschaft?*,[6] erkennt er – in der Ablehnung – richtig Friedrichs radikale Strenge, sieht aber (wie mancher nach ihm) nicht die Dialektik zwischen der großen und der kleinen Form.

Börsch-Supan interpretierte den Gegensatz von Ebene und Gebirge als den von Welt und Jenseits, sah gar in der Kuppe ein *Gottessymbol*, ließ dabei aber den Himmel außer acht.[3] Einleuchtender ist, das Gebirge als die Zone zwischen dem Irdischen und dem Himmlischen anzusehen, fern, aber nicht unerreichbar, ja durchaus zu betreten auf dem Weg nach oben.

1 Andreas Aubert, Der Landschaftsmaler Friedrich, *Kunstchronik N.F. 7*, 1895/96, S. 292.

2 Karl-Ludwig Hoch, *Caspar David Friedrich und die böhmischen Berge*, Dresden 1987, S. 138.

3 Helmut Börsch-Supan, *Caspar David Friedrich*, München 1973, Nr. 304.

4 Werner Sumowski, *Caspar David Friedrich – Studien*, Wiesbaden 1970, S. 80.

5 *La peinture allemande à l'époque du Romantisme*, Orangerie des Tuileries, Paris 1976, S. 69 f.

6 A. Schöll, Über das Leben der Kunst in der Zeit. Aus Veranlassung der Berliner Kunstausstellung im Herbst 1832, *Museum 1*, 1833.

Berglandschaft in Böhmen
Ausschnitt

Das brennende Neubrandenburg

Zwischen abgeernteten Feldern, an drei Heuhaufen vorbei führt ein von Fels-
blöcken gesäumter Feldweg schräg in die Tiefe, zur Stadt Neubrandenburg, die von
Bäumen umgeben ist, auf das dreiteilige Friedländer Tor zu. Neben zwei anderen,
niedrigeren Bauwerken, die ebenfalls aus dem 14. Jahrhundert stammen, erhebt
sich die Marienkirche mit ihrem reichgezierten Ostgiebel und mit dem Turm, den
Friedrich im Bild um ein Geschoß erhöht hat. Die Stadt brennt, Flammen lodern,
weiße und braune Rauchwolken ziehen zur Seite, vor den schweren, blauen Cumu-
lus-Wolken, die über dem Horizont liegen. Die verborgene Sonne erfüllt in breiten
Strahlenbahnen den Himmel über der Wolkenkette.

Das Gemälde ist nicht vollendet, was wohl mit Friedrichs 1835 erlittenem
Schlaganfall zusammenhängt. Es dürfte kurz zuvor begonnen sein. Vor allem Erdreich, Vegetation und Architektur sind nur angelegt; die mit dem Pinsel frei
gezeichneten Umrißlinien sind überall deutlich zu erkennen. So erlaubt der unvoll-
endete Zustand des Bildes einen besonderen Einblick in Friedrichs Arbeitsweise.
Die Malerei im Himmel scheint dem Endgültigen näher zu sein; beim Weitermal-
len wären gewiß die störenden, offensichtlich mit der Reißschiene gezogenen
Umrißlinien der Strahlen verschwunden. Friedrichs Kunst in der Erfassung des
Lichtes im Himmel wird hier ganz erkennbar.

Eine Zeichnung vom Oktober 1824 aus der Umgebung Dresdens hat Friedrich
für den Vordergrund benutzt; Heuhaufen und Felsblöcke fehlen dort.

Ob die Sonne im Auf- oder im Untergang dargestellt ist, wird in der Literatur ver-
schieden gesehen; bei Friedrichs freiem Umgang mit dem Topographischen ist aus
der Himmelsrichtung – wir blicken gen Südwest – nichts zu schließen. Die
Beobachtung von Börsch-Supan leuchtet ein, bei untergehender Sonne müsse der
Himmel in der Höhe schon dunkel sei[1].

Börsch-Supan sieht im Brand der Kirche ein Gleichnis für das Jüngste Gericht.
Die hinter den nächtlichen Wolken hervorbrechende Sonne bezeichnete dann den
Anbruch des Jüngsten Tages.

1 Helmut Börsch-Supan, *Caspar David Friedrich*, München 1973, Nr. 427.

Das brennende Neubrandenburg · um 1834
72,2 x 101,3 cm. Inv. 1050. Erworben 1905

Meeresufer im Mondschein

Dunkle, regenschwere Wolken treiben nahe dem Horizont langsam nach links. Man meint sie zählen zu können, so groß sind sie und so deutlich heben sich die in der Tiefe durch verminderte Dunkelheit ab. Von der Scheibe des Mondes oben in der Mitte ist gerade die untere Hälfte zu sehen, auch diese bedeckt, bis auf eine kleine, lichte Stelle ganz unten. Der Mond scheint zwischen den Wolken hindurch, ganz hell unten in der Mitte; so sind die schräg nach rechts unten verlaufenden Ränder der Wolken hervorgehoben. Hell wird das Mondlicht vom Wasser zurückgeworfen, am hellsten am Horizont – von der Mitte zu den Seiten abnehmend – und dort, wo Steine den Ufersaum bilden. Die Nahtlinie zwischen Wasser und Land ist vielfach verschlungen, im Dunkeln kaum auszumachen; viele glattgeschliffene Felsen liegen im Wasser. In einer Bucht sind rechts zwei Kähne zu erkennen. Auf den Felsen sind acht Anker aufgehäuft. Zwei Fischerboote mit tiefdunklen Segeln nähern sich der Küste; sie sind von der Lichtbahn etwa gleich weit entfernt. Unweit dem Horizont sind von einem dritten Boot besonders die beiden langen, schlanken Segel zu sehen. Geht der Blick von hier aus über das rechte, nahe Boot und über die Lichtbahn zu den Kähnen, folgt sie einer Linie, die der Bewegung der Wolkenränder entgegenläuft.

Friedrichs eher dünn aufgetragene Malerei auf recht grober Leinwand hat durch Firnisabnahme Lasuren und damit Tiefe verloren; auch die Differenzierung zwischen dem Grün des Wassers und dem Braun der Steine und der Erde dürfte ursprünglich stärker gewesen sein. Die Gesamtwirkung aber ist kaum beeinträchtigt.

Mit Bleistift gezeichnete Naturstudien von 1826, 1818 und 1824 hat Friedrich, seinem alten Verfahren treu, als Vorlage für Einzelheiten – Vordergrund, Segelboote, Anker – benutzt, wie Börsch-Supan erkannt hat.[1]

Carl Gustav Carus bezeichnete in einem Brief vom November 1837 als Friedrichs letztes Gemälde *eine große Landschaft mit Gewitterhimmel bei Nacht an der See*, offensichtlich also jenes Bild, das im Katalog der am 31. Juli 1836 eröffneten Akademie-Ausstellung in Dresden als *Meeresufer im Mondschein* aufgeführt wurde. Wenn Börsch-Supan erklärt, Friedrich habe das Gemälde in Angriff genommen, nachdem im Oktober 1835 seine rechtsseitige Lähmung – Folge des am 26. Juni erlittenen Schlaganfalls – zurückgegangen sei, bezieht er sich auf einen Brief Friedrichs an den Petersburger Freund und Förderer Wassilij Shukowski vom 14. Oktober: *Nach langer Zeit habe ich es gewagt, wieder zu malen, und die Freude gehabt, daß es gegen meine Erwartung gut angefangen. Ich bin begierig, wie das Bild vollendet erscheint.*

Friedrich hätte also noch einmal alle Kräfte gesammelt, sich eine Leinwand in jenem Ausmaß aufspannen zu lassen, das er nur selten gewählt und nur einmal überschritten hat, 2 Ellen 8 Zoll auf 2 Ellen 22 Zoll, und aller Behinderung durch

Meeresufer im Mondschein · 1835/36
134 x 169,2 cm. Inv. 5489. Erworben 1992
mit Hilfe der Kulturstiftung der Länder,
des Ernst von Siemens-Kunstfonds,
der Stiftung zur Förderung der Hamburgischen Kunstsammlungen,
der Campe'schen Historischen Kunststiftung,
der Hermann Reemtsma-Stiftung,
der Kurt A. Körber-Stiftung,
von Dr. Michael Otto
und Hauswedell & Nolte

die Folgen der Lähmung zum Trotz, auch bei geringerer Sicherheit in der Pinselführung, ein großes Vermächtnis, eine *summa* seines bildnerischen Denkens gemalt.

Seit dem ›Kreuz an der Ostsee‹ von 1815 hat Friedrich immer wieder Meeresküsten im Mondschein gemalt, so ›Mondaufgang über dem Meer‹ von 1821 in der Ermitage (in den Maßen unseres Bildes) und das berühmte Berliner Bild ›Mondaufgang am Meer‹ mit den drei auf Felsen sitzenden Figuren. Aus dem letzten Lebensjahrzehnt sind ›Abend am Ostseestrand‹ in Dresden und besonders ›Meeresküste bei Mondschein‹ in Berlin zu nennen, aber auch ›Wrack im Mondschein‹, zeitlich das nächste.

Das letzte Wort aber ist ein Sepiabild, gemalt um 1838, das Blatt ›Mondaufgang am Meer‹ im Kupferstichkabinett. Nichts zeugt hier mehr vom Menschen.

›Meeresufer im Mondschein‹ ist ein Bild des Übergangs, ein Bild im Angesicht des Todes. Friedrich führt hier die Gestaltungselemente seiner Kunst an die äußerste Grenze und macht so Grenzenlosigkeit anschaulich. Er entleert den Bildraum fast völlig, er beschränkt die Gliederungselemente der Komposition auf die Waagrechte des Horizonts und die beiden Zeichen der Segelschiffe, er baut das Bild in völliger Symmetrie auf, er beschränkt die Farbskala auf Blau, Grün und Braun und reduziert die Tonwerte fast völlig auf Dunkles. Die Düsterkeit und die Todesahnungen, die das Bild erfüllen, werden nicht vermindert, sondern eher verdeutlicht durch das Mondlicht, im Wortsinn den Silberstreifen am Horizont. Friedrichs Botschaft von der Jenseitsverheißung ist aufs Knappste vermindert.

---

1 Helmut Börsch-Supan, *Caspar David Friedrich*, München 1973, Nr. 453; Helmut Börsch-Supan, *Caspar David Friedrich. Meeresufer im Mondschein. 1836*, Berlin 1992 (Patrimonia. 56.).

Mondaufgang am Meer · um 1838
Sepiamalerei auf Papier. 256 x 385 mm
Inv. 1952/131

Georg Friedrich Kersting: Caspar David Friedrich in seinem Atelier

In seinen einst viel gelesenen *Jugenderinnerungen eines alten Mannes* schreibt der Maler Wilhelm von Kügelgen: *Friedrichs Atelier ... war von so absoluter Leerheit, daß Jean Paul es dem ausgeweideten Leichnam eines toten Fürsten hätte vergleichen können. Es fand sich nichts darin als die Staffelei, ein Stuhl und ein Tisch, über welchem als einzigster Wandschmuck eine einsame Reißschiene hing, von der niemand begreifen konnte, wie sie zu der Ehre kam. Sogar der so wohlberechtigte Malkasten mit Ölflaschen und Farbenlappen war ins Nebenzimmer verwiesen, denn Friedrich war der Meinung, daß alle äußeren Gegenstände die Bilderwelt im Innern stören.*[1]
Friedrichs Freund Georg Friedrich Kersting (Güstrow 1785–1841 Meißen) verdanken wir diese bildliche Beschreibung aus dem Jahr 1811, die zwar durchaus einiges Werkzeug, den Malkasten mit Farblappen sowie drei Flaschen für Öl und Pigmente (und einen Spucknapf) wiedergibt und die uns dennoch die Kargheit von Friedrichs Arbeitszelle intensiv empfinden läßt.

Das Fenster in der Rückwand ist im unteren Drittel durch Läden geschlossen, die zweite Nische ist ohne Öffnung. Das Licht dringt also wie durch eine Schleuse ins grüngestrichene Zimmer und macht so seine Kahlheit noch eindringlicher. Die einfache Raumgliederung trägt zu diesem Eindruck bei: Die rückseitige Wand verläuft fast bildparallel, so blickt man in ein kastenförmiges Zimmer, als habe man eine Theaterszene vor sich. Das nirgends überschnittene Fenster, durch zwei dünne Eisenstäbe wie durch ein Fadenkreuz viergeteilt, erscheint als Bild im Bilde: Helle Wolken im blauen Himmel. Nichts zieht den Blick des Betrachters mehr an.

Friedrich sitzt schräg auf seinem Stuhl, das Licht fällt voll auf die aufgespannte Leinwand, die auf der Staffelei steht. In der Linken hat er Palette und mehrere Pinsel, die Rechte ist auf den Malstock gestützt, mit einem feinen Pinsel malt er einen Wasserfall im Gebirge – ein Bild, das sich nicht erhalten hat. Mit der Kahlheit des Zimmers macht Kersting die Einsamkeit anschaulich, die für Friedrich die Vorbedingung künstlerischen Tuns ist. Das Bild, an dem Friedrich malt, kommt aus seinem Innern, die Natur bleibt außen.

1819 malte Kersting eine Replik dieses Bildes, die sich in der Kunsthalle Mannheim befindet, und eine andere Fassung mit wesentlichen Änderungen: Die Distanz ist verringert, die Tür weggelassen, Friedrich steht hinter dem Stuhl in Betrachtung des Bildes, das man von hinten sieht; dem hellen Quadrat des Fensters antwortet das dunkle Querrechteck des Gemäldes. Dies Bild gehört der Nationalgalerie Berlin.

1 Wilhelm von Kügelgen, *Jugenderinnerungen eines alten Mannes*, Düsseldorf und Leipzig o.J., S. 131f.

Georg Friedrich Kersting
Caspar David Friedrich in seinem Atelier · 1811
54 x 42 cm. Inv. 1285. Erworben 1923

Friedrich und Hamburg

Am 5. März 1896 erschien die 18. Nummer der *Kunstchronik,* die im Impressum als *Beiblatt zur Zeitschrift für bildende Kunst* bezeichnet wird. Den Hauptartikel hatte der norwegische Kunsthistoriker Andreas Aubert verfaßt: *Der Landschaftsmaler Friedrich.* Aubert nannte Friedrich *einen der innerlichsten Geister, die es in der deutschen Kunst gegeben.*[1] Der Aufsatz war nichts anderes als die Übersetzung eines Kapitels aus Auberts 1894 in Kristiana erschienenen zweiten Band seines Buches *Professor Dahl.* Damit begann Friedrichs Wiederentdeckung.

Alfred Lichtwark, Direktor der Hamburger Kunsthalle seit 1886, war anfangs Friedrich gegenüber zurückhaltend. Am 22. August 1893 schrieb er der *Commission für die Verwaltung der Kunsthalle* aus Dresden: *In der Galerie habe ich mir die Künstler vom Anfang unseres Jahrhunderts näher angesehen, die Freunde von unserm Runge, namentlich den Stimmungsmaler Friedrich. Es ist merkwürdig, wie mit einem Male von allen Seiten gerade die bisher übersehenen Künstler hervorgezogen werden. Aber unser Runge ist doch weitaus der Bedeutendste.* Am Tag darauf äußerte er über Friedrich, dieser sei *ein sehr bedeutender Mensch, aber er hält mit Runge keinen Vergleich aus.*[2]

Hugo von Tschudi hatte, nachdem er 1896 Direktor der Nationalgalerie geworden war, mit der Reorganisation des Museums begonnen. An der Jahreswende 1897/98 waren die Säle neu gestaltet und geordnet. Hier wurde zum ersten Mal die neue Wertung Friedrichs anschaulich. Am 10. Januar 1898 schrieb Lichtwark seiner Commission: *Vor Friedrich stehen die Menschen mit weitaufgerissenen Augen…*[3]

Lichtwarks Brief vom 26. Juli 1901 ist die früheste Nachricht eines Versuchs, Bilder von Friedrich zu erwerben. Er konnte hoffen, *daß mir kein Bild von ihm in Greifswald unbekannt geblieben ist.* Noch blieb es beim Versuch: *Die Nachkommen hüten die Schätze mit großer Pietät.*[4]

Als er im Jahr darauf wiederkam, mußte er am 24. April 1902 berichten: *Eine traurige Nachricht empfängt mich hier. Ein Teil der Bilder von Friedrich, zum Glück nicht die besten, sind, seit ich sie im Herbst gesehen, verbrannt. Ich suchte das Haus in der Langen Straße, an seiner Stelle erhebt sich ein Neubau. Der Besitzer führte mich auf den Speicher, dort lagerten die Ruinen der schönen Gemälde. Es ist nichts mehr zu retten. Der Anblick bewegte mich sehr. Rahmen und Leinwand waren unberührt, nur die Farbschicht hatte die Hitze nicht aushalten können.*[5] (Gegenwärtig sind die beiden Interieurs, die Lichtwark im Vorjahr genannt hatte, in restauriertem Zustand als zeitweilige Leihgabe in der Hamburger Kunsthalle zu sehen, die ›Frau mit dem Leuchter‹ für längere Zeit, die ›Frau auf der Treppe‹ für einige Wochen.) Am 20. September gab Lichtwark Nachricht von dem vergeblichen Versuch, in Stralsund fündig zu werden.

Die ersten Erwerbungen gelangen 1904: ›Wiese bei Greifswald‹ und ›Harzlandschaft‹ (heute ›Berglandschaft in Böhmen‹), *zwei überirdisch schöne Landschaften,* wie Lichtwark an Kalckreuth schrieb.[6] Er hatte sie bei Anna Siemssen geb. Friedrich (wohl einer Großnichte des Malers) gekauft, nachdem er ein Hindernis glücklich überwunden hatte: seinen Kollegen Tschudi. Am 16. Dezember 1904 teilte er mit: *Endlich kam ich zu Tschudi wegen der beiden Landschaften von Friedrich aus dem Besitz der Familie in Greifswald. Ich bin seit Jahren dahinterher. Sie waren nicht loszueisen. Endlich hatte ich die Besitzer soweit. Da kommt im letzten Augenblick Prof. Seeck in Greifswald dazwischen, rät der Dame, die Bilder an die Nationalgalerie zu senden, die ein höheres Gebot machen würde, und so geschah's. Genau wie neulich mit Runges Elternbildnis. Es hat einen harten Kampf gesetzt – toujours à l'aimable, natürlich. Tschudi plädierte, er habe als Museumsdirektor kein Gewissen, er stünde über der einfachen Spießermoral usw. Zuletzt wurde er nett und verzichtete. Aber ich muß gestehen, ich weiß nicht, ob ich solange Widerstand geleistet hätte.*[7] Im Jahresbericht für 1904 hieß es: *Nach vielen vergeblichen Versuchen ist es in diesem Jahre geglückt, den großen deutschen Landschaftsmaler Caspar David Friedrich, einen Freund Ph. O. Runges, in unserer Galerie zur Vertretung zu bringen.* Dann kennzeichnet Lichtwark Friedrichs Bilder: *Sie sind nicht nur die Offenbarung eines Träumers, sondern zugleich die Taten eines ebenso großen und unabhängigen Realisten. Friedrich ist darin seinem Freund Runge aufs engste verwandt.*[8]

Am 22. April 1905 klagte Lichtwark: *Leider hat Dresden von Frau Dahl die »Eichen im Schnee« erworben, die ich gern für die Kunsthalle gehabt hätte … Das Eisbild wird nun die Dresdner Galerie auch wohl erwerben.* Aber er gab nicht auf. Am 22. Juni schickte er einen Brief aus Dresden: *Zuerst fuhr ich zu Frau Dahl hinaus.* Das war die Witwe Sigwald Dahls, des Sohnes von Friedrichs Malerfreund. *Es ist eine etwas schwierige Dame. Ich habe mir nun in aller Ruhe das Nordpolbild von Friedrich angesehen und habe Frau Dahl bewogen, es uns zur Ansicht zu schicken.* Der Besuch brachte auch eine Erkenntnis: *Das ist …, nach den wenigen Werken Friedrichs, die ich kenne, zu urteilen, das Große an ihm, daß er immer neue Bildgedanken hat.*[9] Noch im gleichen Jahr wurde *Die verunglückte ›Hoffnung‹ im Eise* (heute ›Das Eismeer‹) erworben und ebenso ›Sturzacker‹ von Friedrichs Neffen Heinrich und schließlich von der Witwe Adolfs, des einzigen Sohnes, ›Ansicht der Stadt Neubrandenburg bei Sonnenuntergang‹.

Als am 24. Januar 1906 in der Nationalgalerie die Deutsche Jahrhundert-Ausstellung eröffnet wurde, jener erste Überblick über die deutsche Kunst von 1775 bis 1875, der bis heute unser Bild dieser Kunst prägt und dessen führender Geist Lichtwark gewesen ist, waren Friedrichs Bilder für die meisten, Lichtwark eingeschlossen, das große Ereignis. Sechsunddreißig seiner Gemälde waren zu sehen, darunter die fünf aus Hamburg.[10] Lichtwarks Einsatz hatte zum Erfolg geführt. Aus der Ausstellung kaufte Lichtwark außer 20 Zeichnungen und Aquarellen drei Ölstudien zum ›Eismeer‹ und zwei Gemälde: ›Ziehende Wolken‹ von Frau Bertha Schütz-Papperitz in Dresden und aus dem Nachlaß W. Wegeners ›Frühschnee‹. Am 8. Dezember 1906 schrieb er dem Freund Kalckreuth: *Heute habe ich einen neuen Friedrich bekommen, wieder eine ganz neue Bildform, als solche unter Tausenden als Friedrich zu erkennen. Verschneiter Fahrweg auf einer Lichtung, der hell auf das Dunkel einer riesigen Wand Tannenstämme zuführt.*

Oben über den kleinen Kronen ein Stückchen blauer Himmel mit Wolken. Aus der Lichtung sprießen junge Tannen auf, deren Zweigenden blaue Schneetupfen tragen.

Eine Woche darauf berichtete er Kalckreuth von der Vorbereitung der Ausstellung der Erwerbungen des Jahres 1906, die am 21. Dezember *mit Senat und Bürgerschaft* eröffnet werden sollte: *Der kleine Friedrich, die Tannen, ... ist so mächtig, daß er eine ganze Wand beherrscht. Es ist ein Monumentalbild. Wenn es einen Mann gegeben hat, der in jener Zeit eine Landschaft monumental aufzubauen vermochte, ist es Friedrich. Und wie die Flecken sitzen!*

Im Februar 1908 besuchte er Frl. Luise Alms in Neubrandenburg und sah dort *ein unheimlich phantastisches Bild,* ›Gräber gefallener Freiheitskrieger‹. *Verkaufen will die Besitzerin nicht. Vorläufig nicht.*[12] Einige Monate später kam Lichtwark wieder und kaufte. 1909 wurde ›Der Hafen von Greifswald‹ erworben, 1911 das kleine Bild ›Nebelschwaden‹, das bis 1842 dem bedeutenden Friedrich-Sammler G. A. Reimer, Verlagsbuchhändler in Berlin, gehört hatte.

Im letzten Amtsjahr 1913 kaufte Lichtwark zwei Bilder bei Friedrichs Großneffen Adolf Bechly aus Neubrandenburg; Friedrichs Mutter stammte aus der Familie Bechly. Es waren ›Hügel mit Bruchacker bei Dresden‹ und ›Die Augustusbrücke in Dresden im Abendlicht‹. Bereits am 28. Juni 1905 hatte er das Brückenbild, *das ganz modern anmutet,* und seinen Besitzer, dem er in Berlin begegnete, erwähnt,[13] und am 2. Februar 1908 hatte er dann bei Bechly beide Bilder gesehen und beschrieben. Das Brückenbild: *Grauer Abend mit gelben Streifen, die sich im wildschießenden Wasser unter den Brückenbögen spiegeln. Einzelne rare Passanten auf der Brücke, zwei Männer vor dem Geländer der Terrasse, die den Blick auf das Schauspiel wenden. Whistlersch. Sehr zart und duftig. Daneben hing noch ein kleineres Bild, das wieder ganz neu für mich war. Ein blendender Himmel, gegen den ein Gewirr krauser Zweige von Apfelbäumen steht. Sie erheben sich vor einer grünen Hügelkuppe, gegen die ein brauner Sturzacker aufsteigt. Das Thal hinter der Kuppe blaut weithin mit einzelnen Blitzlichtern eines Stromes, und aus diesem chaotischen Blau steigen im Abendduft blau gegen den hellen Himmel die Kuppeln und Türme Dresdens auf. Vorn läßt sich auf dem Sturzacker ein Schwarm schwarzer Raben nieder. Solche Bilder hat vorher und nachher niemand gemalt.*[14]

Am 13. Januar 1914 ist Alfred Lichtwark gestorben.

Lichtwarks Nachfolger Gustav Pauli sah seine Hauptaufgabe gegenüber der Sammlung in der Verringerung der Lücken; dem achtzehnten Jahrhundert, *der letzten Blütezeit eines europäischen Stils,* galt, wie er in seinen *Erinnerungen* schrieb, sein besonderes Augenmerk.[15] Der Friedrich-Bestand wurde nicht erweitert, so wenig wie in der Nachkriegszeit, als es vor allem galt, die von den Nazis geraubte Sammlung moderner Kunst durch eine neue zu ersetzen.

In Paulis Amtszeit fiel auch die Zerstörung des Glaspalastes in München durch den furchtbaren Brand am 6. Juni 1931, als dort auch die Ausstellung »Werke deutscher Romantiker von Caspar David Friedrich bis Moritz von Schwind« zu sehen war. Alle

Die Augustusbrücke in Dresden im Abendlicht · um 1830
28 x 35,2 cm. Inv. 1054. Erworben 1913,
im Glaspalast München 1931 verbrannt

diese 110 Gemälde verbrannten, darunter neun von Friedrich, aus Hamburg ›Der Hafen von Greifswald‹ und ›Die Augustusbrücke in Dresden‹.[16] Das schreckliche Ereignis hat unser Bild von der Kunst der deutschen Romantik erheblich ärmer gemacht.

In seiner Geschichte der deutschen Kunst im 19. Jahrhundert schrieb Pauli am Ende seiner Amtszeit über Friedrich: *Es hat keinen gegeben, der so eindringlich uns die Landschaft als das Sinnbild eines beseelten Universums gedeutet hat. Bei ihm gibt es nichts, was ablenkt oder zerstreut … Immer spüren wir die geheimnisvolle Nähe des Unendlichen. Über dieser Natur weht der Odem Gottes – zugleich aber nehmen wir teil an der persönlichen Ergriffenheit des Künstlers.*[17]

Von Paulis Assistenten Victor A. Dirksen war schon 1920 eine kurze allgemeine Einführung in Friedrichs Kunst erschienen.[18]

1951 erwarb die Kunsthalle das kleine Gemälde ›Schiff im Eismeer‹ (Inv. 2933; 29,6 x 21,9 cm) von der Familie Bechly in Neubrandenburg;[19] Lichtwark hatte das Bild dort schon gesehen – und verschmäht. Das Motiv des vom Eis eingeschlossenen Schiffes und die Herkunft aus der Familie sprachen für die Autorschaft Friedrichs, das Datum 1798 in gewisser Weise auch. Die Zweifel daran haben sich inzwischen verfestigt, deshalb wird das Bild auch hier nicht weiter behandelt. In der erzählerischen Art und in der Malweise ist das Bild auch dem frühen Friedrich fremd.

1970, kurz nach dem Amtsantritt Werner Hofmanns, wurde der Hamburger Kunsthalle von einer deutschen Galerie das Gemälde ›Wanderer über dem Nebelmeer‹ zum Kauf angeboten, nachdem ein anderes deutsches Museum abgelehnt hatte. Mit Nachdruck setzte sich Hofmann beim Kuratorium der *Stiftung zur Förderung der Hamburgischen Kunstsammlungen* für den Entschluß ein, die Mittel dreier Jahre für den Ankauf zu verwenden. Es ging ihm dabei *in erster Linie um das Bild, um seine Ausstrahlung … zugleich aber dachte ich an den Hamburger Bestand und an das große, für 1974 geplante Ausstellungsprojekt, auf das ich bereits in meiner ersten Hamburger Pressekonferenz hingewiesen habe.*[20]

1974, zur 200. Wiederkehr von Friedrichs Geburtstag, veranstaltete die Hamburger Kunsthalle die erste umfassende Ausstellung des Künstlers, im Zyklus »Kunst um 1800«. Mehr als die Erinnerung an den immensen Publikumserfolg (218 910 Besucher) bleibt der Katalog mit Beiträgen von Hofmann, Hans Werner Grohn, Siegmar Holsten, Eleonore Reichert und Eckhard Schaar ein wesentlicher Beitrag zur Forschung über *Friedrichs geschichtliche Stellung*. Das *Bildresultat* sah Hofmann *in einem paradoxen Ergebnis: Nähe, die sich in Distanz hüllt; Sachlichkeit, die in einer hoheitsvoll nüchternen Aura steht.*[21]

1989 bot eine Familie der Kunsthalle Friedrichs letztes Bild, ›Meeresufer im Mondschein‹, als Leihgabe an. Gern wurde das Angebot angenommen. 1992 sah sich die Familie, in deren Eigentum es sich seit 1857 befunden hatte, gezwungen, es zu verkaufen. Hofmanns Nachfolger Uwe M. Schneede wandte mit Unterstützung der Kul-

Der Hafen von Greifswald nach Sonnenuntergang · um 1821
94 x 74 cm. Inv. 1049. Erworben 1909,
im Glaspalast München 1931 verbrannt

turbehörde alle Energie auf, dieses letzte Gemälde Friedrichs für die Kunsthalle zu
erwerben. Die Kulturstiftung der Länder zahlte ein Drittel der Kaufsumme, der Ernst
von Siemens-Kunstfonds bewilligte die Zwischenfinanzierung, die beiden der Kunsthalle nahestehenden Stiftungen, die Stiftung zur Förderung der Hamburgischen
Kunstsammlungen und die Campe'sche Historische Kunststiftung, beteiligten sich
nach Kräften, doch damit war die Kaufsumme – die höchste, die von der Kunsthalle
je zu erbringen war – noch nicht beisammen. Da halfen die Hermann Reemtsma Stiftung und die Körber-Stiftung, Dr. Michael Otto und Hauswedell & Nolte. So konnte
›Meeresufer im Mondschein‹ für Hamburg gesichert werden.[22]

1 *Kunstchronik,* N. F. 7, 1896, Sp. 281–293.
2 Alfred Lichtwark, *Briefe an die Commission für die Verwaltung der Kunsthalle II,* Hamburg 1896, S. 249.
3 Lichtwark, *Briefe* VI, 1899, S. 7.
4 Lichtwark, *Briefe* IX, 1902, S. 225.
5 Lichtwark, *Briefe* X, 1904, S. 56, 175.
6 Alfred Lichtwark, *Briefe an Leopold Graf von Kalckreuth,* Hrsg. Carl Schellenberg, Hamburg 1957, S. 146.
7 Lichtwark, *Briefe* XII, 1905, S. 277.
8 *Jahresbericht der Kunsthalle zu Hamburg für 1904,* Hamburg 1905, S. 16–17.
9 Lichtwark, *Briefe* XIII, 1905, S. 80, 81, 145.
10 Helmut R. Leppien, Wege zur Deutschen Jahrhundertausstellung, in: *Kunst und Leben,* Hamburger Kunsthalle 1986/87, S. 132–144.
11 Lichtwark, *Kalckreuth-Briefe,* S. 194, 197
12 Lichtwark, *Briefe* XVI, 1916, S. 20, 21.
13 Lichtwark, *Briefe* XIII, 1908, S. 163.
14 Lichtwark, *Briefe* XVI, 1916, S. 22.
15 Gustav Pauli, *Erinnerungen aus sieben Jahrzehnten,* Tübingen 1936, S. 343.
16 Georg Jacob Wolf, Hrsg., *Verlorene Werke deutscher romantischer Malerei,* München 1931, bes. S. 32.
17 Gustav Pauli, *Das neunzehnte Jahrhundert,* in: Georg Dehio, *Geschichte der deutschen Kunst* IV, Berlin und Leipzig 1934, S. 121.
18 Victor A. Dirksen, *Caspar David Friedrich,* Hamburg 1920 (Kunsthalle zu Hamburg. Kleiner Führer. 10.).
19 Alfred Hentzen, Hamburger Kunsthalle, Erwerbungen 1951–1957, *Jahrbuch der Hamburger Kunstsammlungen 3,* 1958, S. 152.
20 Werner Hofmann, *Hamburger Erfahrungen 1969–1990,* Hamburg 1990, S. 20.
21 *Caspar David Friedrich 1774–1840,* Hamburger Kunsthalle, München 1974, S. 76.
22 *Hamburger Kunsthalle. Caspar David Friedrich. Meeresufer im Mondschein. 1836,* Berlin 1992 (Patrimonia. 56.).

Herausgegeben von Uwe M. Schneede

© 1993 Hamburger Kunsthalle und Autor

Erschienen im Verlag Gerd Hatje, Stuttgart
ISBN 3-7757-0455-8

Gestaltung: Peter Wehr
Fotos: Elke Walford

Reproduktionen: Cannstatter Repro GmbH, Stuttgart
Gesamtherstellung: Dr. Cantz'sche Druckerei,
Ostfildern-Ruit bei Stuttgart